D0432724

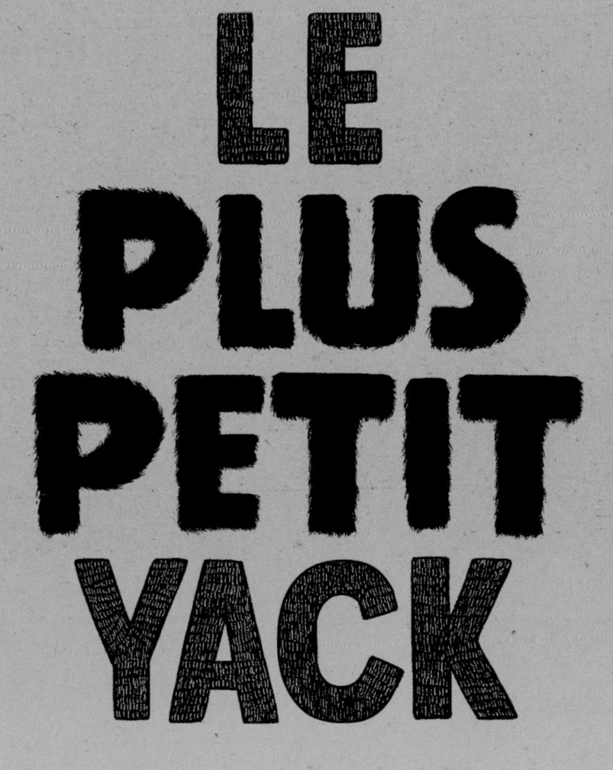
LE
PLUS
PETIT
YACK

Pour ma maman,
qui voit toujours ce qu'il y a de plus grand en moi,
avec tout mon amour.
Lu Fraser

Pour Jane et Helen, un GRAND MERCI !
Kate Hindley

www.little-urban.fr

LE PLUS PETIT YACK
Titre original : The Littlest Yack
First published in Great Britain in 2020 by Simon & Schuster UK Ltd
1st Floor, 222 Gray's Inn Road, London WC1X 8HB

Dépôt légal : janvier 2021
Loi n° 49-956 du 16 juillet 1949 sur les publications destinées à la jeunesse.
I.S.B.N. : 978-2-3740-8327-8
Traduction : Mathilde Colo
Adaptation graphique : Camille Aubry
Little Urban, 57 rue Gaston Tessier
75166 PARIS CEDEX 19 – CS 50061
Achevé d'imprimer en juin 2021 en Italie sur les presses de Lego SpA, Viale Dell'Industria 2, 36100 Vicenza, Italia.

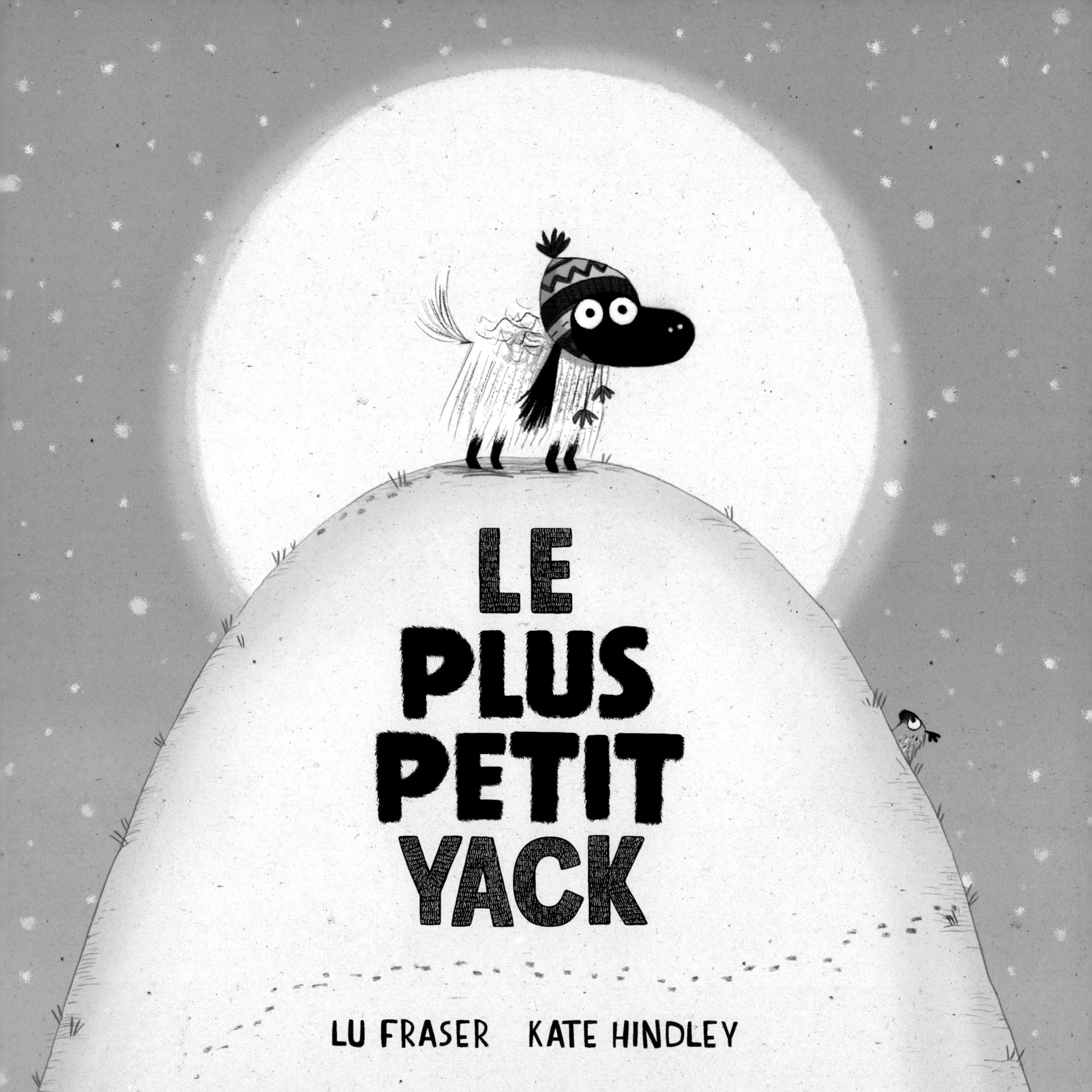
LE
PLUS
PETIT
YACK
LU FRASER KATE HINDLEY

Au sommet des monts enneigés,
là où tourbillonnent des spirales de flocons glacés,
blottie contre le reste de son troupeau,

vivait Gertie...

... la plus petite de tous les yacks.

Avec une laine épaisse et bouclée sur le dos,
Gertie était IMMENSÉMENT fière d'être un yack.

Pataclop pataclop sur les pics,
dotée de petits sabots antidérapants,
elle grimpait en galopant...

… sans jamais déraper
sur le verglas glissant.

Oui, Gertie avait tout d'une grande.
Sauf que…

« Je suis le minuscule yack à l'arrière du troupeau, soupirait-elle. Toujours à la traîne.

Je veux **GRANDIR** et prendre de la hauteur !
Avec leurs sabots costauds et leurs cornes imposantes, les GRANDS YACKS peuvent tout faire ! »

« Tu sais, les yacks sont tous de tailles différentes, lui disait sa maman. Et la GRANDEUR peut prendre d'autres formes. Peut-être qu'un jour tu seras immense et puissante, mais ne sois pas pressée. Être petite, ça peut être GÉANT, profites-en ! »

Dans la nuit noire percée d'étoiles,
au milieu du troupeau, Gertie poussait de longs soupirs.

« Attendre de devenir immense et puissante,
ça prend tellement de temps. Je ne veux plus être petite,
j'ai besoin d'être GRANDE... AU-JOUR-D'HUI ! »

Alors Gertie démarra son
PROGRAMME GRANDEUR.

Elle dévora cinq herbes
et cinq fruits par jour...

... elle parcourut les montagnes
et dévala les collines...

... elle s’entraîna aux petits sauts
et aux grands pas...

... sans JAMAIS s’arrêter !

Elle lut plein de livres pour développer son esprit.
(Parce que les grandes personnes ont toujours des tas de trucs à penser.)

Mais alors que Gertie passait ses journées à essayer, espérer, réessayer,
les jours passaient... sans le moindre signe de croissance.

« Et si je restais une mini-yack à VIE... »
reniflait-elle. Une larme coula de sa joue
puis tomba dans la neige.

Mais attendez ? Qu'est-ce que... ?

Une centaine de sabots tambourinaient le sol.
À la tête de la horde, Maman Yack apparut
dans un tourbillon de neige et cria :

« **VITE, GERTIE !**
Achille est coincé au bord
d'une falaise escarpée
tout au bout d'un petit
chemin sinueux. »

« Nos sabots sont bien trop lourds, nos cornes trop encombrantes
pour grimper et se *hiiiiiiissser* le long de la paroi !
Mais TOI, notre petite yack, tu es légère et agile.
Tu es la seule à pouvoir sauver ce pauvre Achille !

— Vous avez besoin de... moi ?
demanda Gertie, abasourdie.
Parce que je suis... petite ?

Je peux enfin faire
quelque chose de **GRAND** ? »

Gertie fila aussitôt.
Il n'y avait pas de temps à perdre !

Pataclop pataclop, sur les vertigineux pics verglacés,
elle grimpait en galopant.

Pataclop pataclop !

Elle sautait et bondissait
avec légèreté.

Gertie arriva tout en haut.

Au bout d'un rocher escarpé…

… elle vit le visage apeuré…

… du yack prisonnier de la glace.

Gertie s'exclama :

« Mais tu es le plus petit… minuscule…

… des yacks que j'ai jamais vus ! »

« Je voulais grimper la falaise !
répondit Achille en frissonnant.
Mais mes tout petits sabots
n'accrochent pas la neige !
— Tu as de la chance ! Je ne dérape
jamais ! ... sauf quand je décide
de *gliiiiiiiiiiiiiiiiiiiiissser* ! »
Gertie lui sourit.

« Tiens-toi bien à moi... je m'occupe du reste ! »

Accroché à Gertie,
Achille, le plus minuscule des petits yacks,
glissa sur les pentes enneigées...

... et sauta par-dessus un tonnerre d'applaudissements.

« **VIVE GERTIE !** »
cria fièrement le troupeau.

« Sans toi, le jeune Achille serait encore coincé.
Il n'y avait qu'un petit yack qui pouvait le sortir de là. »

Dans un grand câlin laineux, Gertie se blottit contre
sa maman, qui lui murmura à l'oreille tendrement :

« Aussi sûrement que les étoiles brillent dans le ciel,
tu deviendras GRANDE en un battement d'ailes !

Mais c’est ici et aujourd’hui, alors que tu es encore merveilleusement petite, que tu as trouvé de la GRANDEUR dans ton cœur ! »

Gertie leva les yeux
vers la lumière argentée
de la Lune et dit à Achille :
« Être petite, ça me va…

... car j’ai exactement la bonne taille.
La bonne taille pour être MOI !
Je suis parfaitement petite...

… je suis PARFAITEMENT Gertie ! »